I

HAMAGURI

DU MÊME AUTEUR

Le Poids des secrets

TSUBAKI, Actes Sud, 1999 ; Babel n° 712.

HAMAGURI (prix Ringuet de l'Académie des lettres du Québec), Actes Sud, 2000 ; Babel n° 783.

TSUBAME, Actes Sud, 2001 ; Babel n° 848.

WASURENAGUSA (prix Canada-Japon), Actes Sud, 2003 ; Babel n° 925.

HOTARU (prix du Gouverneur général du Canada), Actes Sud, 2004 ; Babel n° 971.

Au cœur du Yamato

MITSUBA (prix de l'Algue d'or), Actes Sud, 2007 ; Babel n° 1123.

ZAKURO, Actes Sud, 2009 ; Babel n° 1143.

TONBO, Actes Sud, 2011 ; Babel n° 1286.

TSUKUSHI, Actes Sud, 2012 ; Babel n° 1380.

YAMABUKI (prix Asie de l'ADELF), Actes Sud, 2014 ; Babel n° 1470.

L'Ombre du chardon

AZAMI, Actes Sud, 2015 ; Babel n° 1551.

HÔZUKI, Actes Sud, 2016 ; Babel n° 1623.

SUISEN, Actes Sud, 2017.

FUKI-NO-TÔ, Actes Sud, 2018.

MAÏMAÏ, Actes Sud, 2019.

SUZURAN, Actes Sud, 2020.

© Actes Sud, 2000, 2020
Initialement paru chez Leméac Éditeur (Montréal) en 2000
ISBN 978-2-7427-6517-1

AKI SHIMAZAKI

HAMAGURI

Le Poids des secrets

roman

BABEL

Ma mère s'arrête devant une maison clôturée. Autour, des hortensias en fleurs. Le bleu, le rose, le blanc... Ils sont encore mouillés de la pluie de ce matin. La rosée tombe. Je trouve un escargot sur la clôture. Il rampe, les cornes dressées. Je les touche du bout des doigts. Les yeux se retirent immédiatement, comme la tête d'une tortue. Pardessus la clôture, je vois un vieil homme ramasser des cailloux, qu'il met dans un seau. Il porte un vêtement blanc et long, comme une robe. J'entends alors crier des enfants et je me raidis. Ils doivent être derrière la maison. Je tiens la jupe de ma mère.

Elle me dit :

— Ça y est, Yukio. Voilà l'église où je travaillerai à partir de demain. Comme je t'ai dit, tu joueras avec des enfants pendant que je serai occupée. Ils sont très gentils. Tu te feras beaucoup d'amis.

— J'ai peur. Puis-je rester avec toi, maman ? Je ne te dérangerai jamais.

— Sois courageux. Tu as déjà quatre ans ! Ici, personne n'a de père ni de mère.

Je demande :

— Comme les escargots ?

Elle me regarde, les yeux ronds :

— Quoi ?

— *Ojisan** me dit que les escargots n'ont pas de père ni de mère.

Ma mère détourne les yeux. Je demande :

— Les enfants, où dorment-ils ?

— Ils dorment dans la petite maison derrière l'église. Les grands sont maintenant à l'école. Les petits restent ici toute la journée. Comprends-tu ?

Je ne réponds pas. Je pense à ELLE, ma seule amie. Les enfants des voisins ne jouent jamais avec moi. Au contraire, ils me lancent des pierres, ils me barrent le chemin quand je rentre à la maison, ils m'entourent et me bousculent. Ils crachent sur moi. Tout le monde est plus grand que moi. Personne ne leur dit d'arrêter. J'attends qu'ils s'en aillent. Ils me crient des mots que je ne comprends pas : « *Tetenashigo* ! » ou « Enfant de *baïshunfu* ! » Mais je n'en parle jamais à ma mère, car je suis sûr que ces mots la rendraient triste.

Je lui demande :

— ELLE viendra aussi ?

Ma mère secoue la tête :

— Non. Tu peux jouer avec elle au parc.

Ma mère ouvre la clôture en bois. Je la suis. Je vois pour la première fois un bâtiment qui

---

* Les mots en japonais sont regroupés dans un glossaire en fin d'ouvrage.

s'appelle « église ». De l'extérieur, cette église n'est pas différente d'une maison. Sauf une décoration de deux bâtons croisés sur le mur, au-dessus de la porte.

Ma mère salue l'homme :

— Bonjour, *Shinpu-sama* !

Il tourne la tête :

— Mariko !

Il s'approche de nous. Il a une barbe. Je n'ai jamais vu un homme aussi grand. De peur, je me cache derrière ma mère. Il se baisse vers moi et sourit. Ses dents sont plus blanches et plus grandes que celles des adultes que je connais. Il essaie de me prendre la main. Je refuse. Le nez long. Les yeux brun foncé. La couleur de la peau. Tout est différent des hommes que j'ai vus jusqu'ici.

L'homme me dit gentiment :

— Tu es Yukio, n'est-ce pas ?

Son accent est étrange. Je ne réponds pas.

Ma mère lui dit :

— Il est timide.

Nous allons dans la petite entrée où l'on se déchausse. À côté, je vois une pièce spacieuse avec des tatamis. Là, il n'y a rien qu'une statue de femme en bois. Ma mère et celui qu'elle appelle *Shinpu-sama* se parlent. Je regarde la statue, qui est plus haute que ma mère. La femme porte un bébé sur sa poitrine. Un long voile sur la tête. Les yeux sans pupilles. Une robe jusqu'aux pieds, comme celle de l'homme. Je fais glisser mes doigts le long de la statue.

Je demande à ma mère :
— C'est qui, la dame avec un bébé ?
Elle tourne la tête vers la statue et dit :
— C'est la mère de *Kirisuto*. Elle s'appelle *Maria*.
Je demande encore :
— Qui est *Kirisuto* ?
L'homme répond :
— Il est le Fils de *Kami-sama*.
Je dis :
— *Kami-sama* a un enfant ? Le père du bébé est *Kami-sama* ? C'est drôle !
Ma mère m'interrompt aussitôt :
— Ce n'est pas drôle, Yukio.
L'homme me dit en souriant :
— Tu as tout à fait raison.
Nous approchons de la fenêtre par laquelle nous voyons des enfants dans le jardin. Il y en a cinq ou six. Ils jouent à cache-cache. Au coin du jardin, une femme en kimono pompe de l'eau au puits. Elle lave le linge. Le jardin est entouré d'une haie d'arbustes plus haute que la femme. Je me mets sur la pointe des pieds. L'homme me soulève en me tenant par la taille. Je peux voir la maison voisine par-dessus la haie. Un vieux monsieur est assis sur la véranda. Il fume la pipe.
Je crie :
— C'est haut !
J'allonge le bras pour toucher le plafond. Ma main l'atteint. L'homme me reprend dans ses bras et caresse ma tête. Il me demande :
— Ça te plaît ?

— Oui ! Je veux devenir grand comme vous.

Il sourit :

— Tu seras grand quand tu seras adulte.

Je touche sa barbe noire et dis :

— Je ne veux pas être adulte, je veux seulement grandir.

Il ouvre grand les yeux et demande :

— Pourquoi ?

— Pour être fort. Pour battre les garçons qui me lancent des pierres et pour protéger ma mère contre les voisins méchants.

Il me regarde un moment. Je vois ses yeux se mouiller. Il me serre contre lui, me fait descendre :

— Veux-tu jouer dans le jardin ?

— Oui !

Il ouvre la porte à côté de la fenêtre. Il appelle la femme qui lave le linge.

— Madame, c'est le garçon dont j'ai parlé hier. Il s'appelle Yukio.

La femme en kimono s'approche de nous en s'essuyant les mains sur son long tablier. Elle me sourit :

— Ah, c'est toi Yukio ! Nous t'attendions. Viens avec moi.

Je cherche mes chaussures à l'entrée et descends dans le jardin. Elle m'accueille en me prenant la main. Je me retourne vers ma mère. Elle me sourit légèrement.

Dans cette maison, il y a deux autres femmes à part ma mère : l'une prépare les repas et l'autre s'occupe des petits enfants. Ma mère les aide, surtout la vieille femme dans la cuisine. Le matin et le soir, le nettoyage et la vaisselle sont faits par les grands. Il y a aussi un homme qui vient de temps en temps à l'église faire de petites réparations. Il apporte des médicaments gratuits. Il ne travaille pas ici. On dit qu'il est un ami de *Shinpu-sama*.

J'apprends que *Shinpu-sama* est venu d'un pays lointain.

On appelle ma mère *onêsan*. On nous prend pour frère et sœur. Je ne dis pas le mot « maman ». Ici, ce mot n'existe pas. Je ne peux l'appeler *onêsan* non plus. Alors je ne parle pas avec ma mère pendant son travail.

Je joue, je mange, je fais la sieste avec les enfants de mon âge ou des plus jeunes. Avant chaque repas, on prie et on chante. Je ne comprends pas les mots mais je suis les autres. Après dîner, tout le monde commence à faire sa toilette. Ma mère et moi quittons la petite maison sans dire au revoir.

Quelques semaines passent ainsi. Je m'habitue à prononcer le mot *shinpu-sama*. J'aime aller à l'église. Les enfants ne me disent pas de mots méchants. Les adultes sont très gentils avec nous, ma mère et moi.

Après le dîner, quand il fait beau, nous nous rendons directement au parc près de chez nous. Si ELLE est déjà là avec son père, ma mère me laisse avec eux et rentre à la maison ou va faire des courses. ELLE et moi jouons jusqu'à ce que ma mère vienne me chercher. Je crois que le père d'ELLE est un ami de ma mère. Je l'appelle *ojisan*. Il vient chez nous de temps en temps. Je ne sais pas où ELLE et son père habitent, car ma mère et moi n'allons jamais chez eux.

Une fois, ma mère m'a fait promettre de ne parler de lui à personne, ni à ELLE, surtout de ses visites chez nous. Elle ne m'a pas expliqué pourquoi.

Il ne vient chez nous que la nuit, sans ELLE. Il m'apporte des jouets et des livres d'images. Il mange avec nous et joue avec moi. Quand je me couche, il est encore là. Je m'endors en entendant leurs voix. Il ne passe jamais la nuit chez nous.

Ma mère est souvent triste. C'est à cause de lui, *ojisan*. Il ne se présente pas le soir alors qu'il a promis de venir. Je l'attends avec ma mère pour qu'on mange ensemble. Si j'attends trop longtemps, je me mets à sommeiller en regardant un livre d'images.

Je sais que ma mère l'aime. Je sais qu'il est gentil avec moi. Mais je ne l'aime pas quand il la rend triste.

Je prends un bain avec ma mère. Elle me lave avec un tissu, hors de l'*ofuro*. Après, nous nous plongeons dans l'eau chaude. Elle me tient sur ses genoux. Elle me dit en me caressant le dos : « Mon fils, tu m'es plus cher que tout au monde. »

Je dors avec ma mère. Il n'y a qu'un seul futon. Je touche ses seins doux et chauds en mettant la main sous son kimono de nuit. Je suce l'un en tenant l'autre. Elle n'a plus de lait, mais ainsi je suis heureux. Je dors en écoutant ma mère fredonner d'une voix douce. C'est toujours la même mélodie, sans paroles.

Je n'ai pas de père. Mon père a disparu avant ma naissance, dit ma mère.

Un jour, un garçon plus âgé que moi me dit dans les toilettes :

— Tu n'appartiens pas à notre maison à nous. Tu as ta mère, toi.

Il me pousse aux épaules. Je tombe par terre. Je me relève en silence. Il dit :

— Quelle mauviette !

Il s'en va. Il m'arrache mon dessert quand les femmes ne sont pas avec nous. Souvent je ne trouve pas mes chaussures. Je les cherche partout. Je les découvre dans la poubelle ou derrière l'arbre ou dans un seau retourné. Je crois que c'est toujours lui qui les cache. Je ne le dis pas à ma mère. Si je lui dis, elle va pleurer au lieu de se fâcher.

Je n'ai plus envie d'aller à l'église.

Nous sommes seuls au parc, ELLE et moi. Son père est allé au magasin nous acheter des bonbons. Nous jouons à mettre des pierres sur la terre. Nous dessinons une maison de notre grandeur.

ELLE dit :

— Mon père est merveilleux. Il joue du violon et du piano.

Je demande :

— Violon ? Piano ? C'est quoi ?

ELLE répond :

— Ce sont des instruments de musique. Mon père peut parler l'anglais, le français et l'allemand. Il est vraiment merveilleux, n'est-ce pas ?

Je ne réponds pas. Je ne comprends pas ce qu'ELLE veut dire. Nous rajoutons des pierres. ELLE dit :

— J'aime beaucoup mon père. Il est très gentil.

Je dis :

— Moi, j'aime beaucoup ma mère. Elle est très très gentille.

ELLE poursuit :

— J'aimerais épouser mon père quand je serai grande.

Je demande :

— C'est quoi, épouser ?

ELLE répond :

— Tu ne sais pas ? Un homme et une femme habitent ensemble pour le reste de la vie et ils élèvent des enfants. L'homme travaille pour gagner de l'argent et la femme reste à la maison pour s'occuper des enfants. Mais il faut fêter le mariage avant ça.

Je comprends maintenant et dis :

— Alors, j'aimerais épouser ma mère pour habiter avec elle pour le reste de ma vie.

ELLE dit :

— Oui, bonne idée !

Je dis :

— Oui, parce que je n'ai pas de père, moi. Mais toi, tu as ta mère.

ELLE crie :

— Ah, c'est vrai ! J'oublie ma mère. Elle et mon père sont mariés. Qu'est-ce que je dois faire ?

Le lendemain, nous jouons encore au parc. Son père est assis sur un banc, un livre à la main. ELLE dit à mon oreille :

— Mon père m'a dit : « Le mariage entre l'enfant et le parent est interdit. » Il dit qu'il faut être adulte et rencontrer quelqu'un qui ne vient pas de la même famille.

Je demande :

— Ça veut dire que je ne pourrai pas épouser ma mère ?

ELLE dit :

— Non.

Je dis :

— C'est dommage.

ELLE dit, très déçue :

— Oui, c'est vraiment dommage.

Aujourd'hui, ELLE apporte des coquillages qui s'appellent *hamaguri*. ELLE les met par terre en deux rangs. Ils sont vraiment grands, mais toutes les dents de la charnière sont séparées. Je prends l'une des coquilles dans ma main. Elle est plus grande que le creux de ma main. Nous les comptons en ordre. Un, deux, trois, quatre... Je sais compter seulement jusqu'à dix. Après dix, je me tais. ELLE continue. Et en touchant à la dernière, ELLE crie :

— Vingt ! Il y en a vingt en tout. On va jouer au *kaïawase*.

Je répète le mot que j'ai entendu pour la première fois :

— *Kaïawase* ?

— Oui. Les règles du jeu sont très simples : trouver les deux coquilles qui formaient la paire originale.

Je dis :

— Mais les grandeurs et les motifs sont tous pareils.

— Non. Regarde bien, dit-ELLE.

ELLE prend deux coquilles et les colle l'une contre l'autre. ELLE me montre le coquillage ainsi fermé et dit :

— Ces deux coquilles ne sont pas de la même grandeur, n'est-ce pas ?

Je les regarde de très près et dis :

— Tu as raison.

— Alors, il faut trouver la bonne paire. Ce n'est pas facile.

Je prends deux coquilles et j'essaie de les joindre, mais elles n'appartiennent pas à la même paire. Je les dépose par terre. ELLE continue. Puis, ce sera mon tour. Ainsi, nous répétons le jeu jusqu'à ce que nous ayons reformé les dix coquillages.

Aujourd'hui, ELLE a trouvé sept paires et moi, j'en ai trouvé trois. ELLE m'a dit : « Chez les *hamaguri*, il n'y a que deux parties qui vont bien ensemble. »

Un après-midi, *Shinpu-sama* appelle ma mère par la fenêtre de l'église. Ma mère est en train de balayer dans le jardin. Je joue avec des enfants. Derrière *Shinpu-sama* se tient debout l'homme qui apporte des médicaments à l'église. Ma mère s'arrête et entre par la porte à côté de la fenêtre. Je vais sous la fenêtre ouverte.

La voix de *Shinpu-sama* dit :

— Voilà monsieur Takahashi dont je t'ai déjà parlé. Il voudrait parler avec toi, Mariko. Entrez dans mon bureau. Je vous laisse seuls.

Au lieu de l'homme que j'appelle *ojisan*, c'est maintenant monsieur Takahashi qui nous rend visite après son travail ; il joue avec moi et mange avec nous. Il nous invite aussi à sortir, ce que ne fait pas son père, à ELLE.

Je demande à ma mère :

— *Ojisan* ne vient plus chez nous ?

Elle répond :

— Si. Mais il est très occupé par son travail.

Monsieur Takahashi, ma mère et moi prenons le train à Tokyo et descendons à Kamakura. Ensuite, nous prenons l'autobus pour aller à la mer. Au début, je croyais que c'était une grande rivière. Monsieur Takahashi m'a dit que c'était la mer du Pacifique. L'eau est salée. Je lui demande pourquoi. Il répond : « C'est une question très complexe. On ne peut pas l'expliquer facilement. Mais poser des questions et savoir des faits, c'est une chose importante. »

Sur la plage de sable, nous modelons des voitures, des maisons, des châteaux, des hommes, des animaux. Chaque fois, nous allons à deux plages qui s'appellent Shichirigahama et Yuigahama. Là, je trouve beaucoup de coquillages. Après, nous visitons le *daïbutsu* sur le chemin de la gare et nous mangeons au restaurant.

Pour moi, tout est nouveau. J'attends avec impatience la visite de monsieur Takahashi.

Un jour, monsieur Takahashi nous emmène, ma mère et moi, chez ses parents. C'est une grande maison entourée de hautes clôtures de bois. Le jardin est sombre à cause des pins qui s'y trouvent. Nous marchons sur le chemin de pierres plates. D'abord, nous rencontrons une femme de ménage qui nous conduit au salon. Nous y restons longtemps, jusqu'à ce que les parents de monsieur Takahashi entrent dans la pièce.

Lorsqu'il nous présente, ses parents nous examinent des pieds à la tête. Son père dit à ma mère :

— Notre fils est l'héritier de la famille Takahashi.

Monsieur Takahashi lui dit :

— Je l'ai déjà bien expliqué à Mariko.

Sa mère dit à ma mère :

— Vous êtes d'origine douteuse, n'est-ce pas ?

Je ne comprends pas ce qu'elle veut dire. Je regarde ma mère. Elle se mord les lèvres. Je prends ses mains. Elles tremblent. On se tait un moment. J'ai peur. Soudain, monsieur Takahashi crie :

— Ça suffit ! Je suis à bout de patience !

Ses parents restent stupéfaits. Il continue :

— Vous voulez encore m'empêcher de prendre une décision qui concerne ma vie ?

Sa mère dit à monsieur Takahashi :

— Le mariage est l'affaire de la famille. Ce n'est pas seulement à toi de décider.

Son père dit :

— Réfléchis, mon fils.

Monsieur Takahashi crie de nouveau après ses parents. Ma mère et moi quittons la maison. Nous marchons en silence. Quand nous arrivons à la gare, monsieur Takahashi nous rattrape. Il est tout essoufflé :

— Pardonnez-moi. C'est ma faute. Donnez-moi un peu de temps. Je viendrai vous chercher le plus tôt possible.

Après quelque temps, l'homme que j'appelle *ojisan* vient chez nous quand je suis déjà au lit. Je n'ai pas encore sommeil. Je regarde des images d'animaux dans un livre que monsieur Takahashi m'a acheté. De la cuisine, j'entends le bruit de la vaisselle et des tasses de thé qu'on pose sur la table. Un long silence.

Ma mère dit :

— Je me suis décidée à épouser monsieur Takahashi.

— Quoi ? dit-il. Tu en es sûre ?

— Oui. Je suis fatiguée de t'attendre. Je veux ma propre famille.

Encore un silence. Il dit :

— Je pourrai quand même vous voir, toi et Yukio, n'est-ce pas ?

— Je ne sais pas, répond-elle. C'est loin.

— Où allez-vous ?

— À Nagasaki.

— À Nagasaki ? Pourquoi si loin ?

— Monsieur Takahashi a trouvé un travail là-bas. Nous partirons dans deux semaines.

— Dans deux semaines !

Ma mère ne répond pas. Il demande :

— Tu lui as parlé de moi ?

— Non.

Il dit :

— Ne lui parle pas de moi. C'est mieux.

J'entends de nouveau le bruit des tasses de thé. Après un moment, ma mère dit :

— Monsieur Takahashi voudrait adopter Yukio.

Il répète d'un ton étonné :

— Adopter Yukio ?

Ils continuent à se parler à voix basse. Je ne les suis plus. Je m'endors.

Nous sommes au parc. ELLE, son père et moi. ELLE et moi jouons sur le terrain de sable et son père est assis sur un banc. Un livre à la main, comme d'habitude. Mais cette fois, il ne lit pas. Il nous regarde seulement jouer. Je forme une voiture de sable en y gravant des fenêtres et des portes avec une petite branche.

ELLE crie à son père :

— Papa, regarde !

Étonné, il fixe les yeux sur la voiture de sable. Mais il ne dit que « c'est beau » en souriant un peu. Je continue à faire un train. ELLE me rejoint pour former un autobus, un chemin, un tunnel. ELLE y ajoute des arbres, des fleurs, des maisons.

ELLE chuchote à mon oreille :

— Je pourrai être ta femme quand je serai grande ?

Je dis à voix basse :

— Oui, bien sûr ! Mais pourquoi aimerais-tu être ma femme ?

ELLE dit :

— Parce que tu es gentil comme mon père. Tous les garçons que je connais sont méchants. Ils se moquent des filles.

Et tout à coup, ELLE se lève :

— J'oubliais !

ELLE sort de son sac à dos deux coquilles de *hamaguri*, jointes avec une bande de papier. Le coquillage est si grand qu'ELLE le tient des deux mains. ELLE dit en me le tendant :

— C'est pour toi. J'ai écrit ton nom et mon nom aux creux des coquilles et j'ai mis un petit caillou dedans.

Je dis :

— Merci. Mais je ne sais pas lire.

ELLE dit :

— Ce n'est pas grave. Tu apprendras bientôt à l'école. Moi, j'ai déjà commencé à la maison avec ma mère.

J'agite le coquillage en le tenant des deux mains. Kotokotokoto... J'entends le bruit du caillou qui bouge dedans. Je dis :

— Ça me plaît beaucoup ! Je le garderai toujours ! Je n'oublierai jamais que c'est toi qui seras ma femme.

ELLE dit :

— Ne l'ouvre pas. Pas avant notre mariage.

— D'accord. Je te le promets.

Ma mère revient me chercher. Nous nous quittons :

— Au revoir. À demain !

ELLE et son père sortent de l'autre côté du parc. Je suis ma mère en agitant le coquillage.

Le soir, ma mère me dit :

— Demain, ce sera la dernière fois que nous irons à l'église.

Je demande :

— Je pourrai jouer au parc après ?

— Oui, s'il fait beau... Après-demain, nous prendrons le train pour aller à Nagasaki.

Le mot « Nagasaki » m'excite comme « Kamakura », là où monsieur Takahashi nous emmène jouer.

Tôt le lendemain matin, une grosse pluie commence à tomber. Je suis déçu. Je ne pourrai pas jouer avec ELLE. Peut-être plus jamais. Je marche avec ma mère pour aller à l'église. J'entends le bruit de l'eau sur le parapluie de papier huilé. Battues par la pluie, les fleurs d'hortensia tremblent. Mes chaussures sont trempées après quelques pas dans la rue.

À l'église, la journée passe comme d'habitude. Je joue, je mange, je fais la sieste avec les petits enfants. Le même garçon cache mes chaussures et me vole mon dessert. Pourtant, après le dîner, au lieu de rentrer chez nous, ma mère et moi nous nous rendons au bureau de *Shinpu-sama*. Elle et *Shinpu-sama* se parlent et j'attends dans un vieux fauteuil. Je regarde par la fenêtre. Une pluie fine continue de tomber. Je pense à ELLE. Dans mon sac je prends le coquillage. Je l'agite. Kotokotokoto...

Je vois *Shinpu-sama* sortir quelque chose d'un tiroir. C'est un sac en tissu vieilli. Il le pose sur le bureau. Ma mère fixe le sac des yeux quelques secondes. Puis elle dit d'un ton étonné :

— C'est le sac de ma mère !

— Oui, exactement.

Ma mère demande :

— Qu'est-ce qu'il y a dedans ?

— C'est son journal.

— Son journal ? L'avez-vous lu ?

— Non, répond-il. Ce n'est pas la langue d'ici. Je ne comprends pas.

Ma mère sort le journal du sac. Elle tourne quelques pages et penche la tête sur le côté. *Shinpu-sama* s'approche de moi et me prend dans ses bras. Je touche sa barbe. Il me dit :

— Yukio, tu es vraiment sage et patient. Sois toujours gentil avec ta mère comme tu l'es maintenant.

— Oui, je ne ferai jamais pleurer les femmes.

Il sourit et me serre très fort contre son visage. Je sens ma joue se mouiller. Il lève la tête vers le plafond. Des larmes tombent sur mon visage. Je demande en essuyant les gouttes avec ma main :

— Pourquoi pleurez-vous ? Parce que nous partirons bientôt ?

Il secoue la tête :

— Non. C'est parce que je suis fier de toi. Tu deviendras un homme brave.

Il me serre encore. Ma mère me dit :

— Yukio, attends-moi dans l'entrée. Je parle avec *Shinpu-sama.*

Shinpu-sama me dépose sur le plancher. Je sors du bureau. Je cherche mes chaussures. Je ne les trouve ni dans l'entrée, ni dans la poubelle, ni derrière l'arbre, ni dans le seau retourné. Je marche pieds nus autour de l'église.

— Yukio !

Je tourne la tête. C'est la vieille femme qui prépare les repas. Par la fenêtre, elle m'appelle d'un signe de la main. Elle me dit, en me montrant nos chaussures, à moi et à ma mère :

— Je les ai fait sécher près du feu. Elles étaient toutes mouillées.

Je prends les miennes, qui sont encore chaudes :

— Merci, madame !

Elle sourit :

— Viens avec moi.

La femme me conduit en face de la statue de *Maria.* Elle se met à genoux :

— Rappelle-toi que je prie toujours pour toi et ta mère.

Elle ferme les yeux et fait sa prière. J'écoute en regardant le bébé dans les bras de *Maria.* Après, elle dit :

— Je me souviens du moment où tu es né. Tu étais un bébé tellement beau. Et tu auras bientôt cinq ans ! Je suis contente que tu aies un père maintenant. Monsieur Takahashi t'aime beaucoup.

Ma mère et *Shinpu-sama* sortent du bureau. Elle porte le sac sous son bras. Elle dit à *Shinpu-sama* et à la femme, en inclinant la tête :

— Merci beaucoup. Je n'oublierai jamais votre aide et votre gentillesse.

La femme a les larmes aux yeux :

— Tous mes vœux de bonheur.

Shinpu-sama nous dit :

— N'oubliez pas que vous pouvez revenir ici n'importe quand.

Ma mère et moi quittons l'église. Seuls *Shinpu-sama* et la vieille femme nous raccompagnent à la clôture. En marchant, je me retourne plusieurs fois pour leur faire un signe de la main. Ils s'éloignent de plus en plus.

Le lendemain matin, monsieur Takahashi vient nous chercher. Le ciel est clair. Le soleil chauffe. L'été commence. Nous prenons le train avec nos bagages à la gare de Tokyo. Je ne vois personne que je connaisse, ni ELLE, ni son père, ni les parents de monsieur Takahashi. Le train se met à rouler lentement en sifflant. Assis près de la fenêtre, je regarde la gare qui disparaît peu à peu.

Je pense à ELLE. Je tire de mon sac le coquillage et l'agite longuement.

Dans le train, ma mère me dit :

— Yukio, à partir de maintenant, monsieur Takahashi est ton père. Tu l'appelles « papa ». D'accord ?

Monsieur Takahashi me dit en me caressant la tête :

— Yukio. Je voulais un fils comme toi depuis longtemps. Je suis très heureux maintenant. Pour aller à Nagasaki, il nous faudra plus d'une semaine. Nous nous arrêterons dans quelques grandes villes pour dormir. Tu t'habitueras à m'appeler « papa » avant d'arriver à Nagasaki, j'en suis sûr.

Ma mère me dit :

— Ton nom est Yukio Takahashi. On t'appellera toujours par ce nom.

Je demande :

— Et toi, maman ?

— Moi aussi. Je suis maintenant Mariko Takahashi.

Mon père commence à travailler dès notre arrivée à Nagasaki.

Il est occupé tous les jours au laboratoire. Mais la fin de semaine, nous sortons pour aller à la rivière, à la mer, à la campagne. Ma mère prépare l'*obentô* pour nos pique-niques. Nous pêchons, nous nageons, nous nous promenons ensemble. Nous montons sur la montagne près de chez nous. On aperçoit devant nous les maisons, les temples, les écoles, la rivière... Mon père me dit : « C'est la vallée d'Uragami, où nous habitons. Elle est belle, n'est-ce pas ? »

Je me rends compte que, dans cette ville, plusieurs bâtiments s'appellent « église ». Je vois des gens y aller et en sortir en foule. Les femmes portent un voile blanc. Un jour, je demande à ma mère : « Qui sont-ils ? » Elle répond : « Ce sont des catholiques, comme *Shinpu-sama* à Tokyo. »

Je ne joue pas avec les enfants des voisins. Je ne comprends pas les mots qu'ils utilisent. Mon père me dit que c'est le dialecte de cette région et que nous nous habituerons avec le temps. Je reste seul. Cela ne m'ennuie pas. Au contraire, tout est beaucoup mieux qu'à Tokyo. Ici, personne ne me lance des pierres, ne crache sur moi, ne me crie : « *Tetenashigo* ! » ou « Enfant de *baïshunfu* ! » Mon père essaie de me présenter aux enfants de ses collègues. Mais je n'ai pas envie de les revoir. Il n'insiste pas. Je passe la plupart du temps à jouer à la maison, près de ma mère. Ce qui me manque, c'est seulement ELLE.

Chez nous, une chose me dérange. C'est que mon père a commencé à dormir avec nous, ma mère et moi. Je ne comprends pas pourquoi il entre dans notre lit. En dormant, il met la main sur le ventre de ma mère. Je l'enlève chaque fois et je lui répète :

— C'est ma mère. Ne la touche pas !

Mais il continue de rester avec nous pendant la nuit. Je crie :

— Tu veux voler ma mère ! Je te hais. Va- t'en !

Je le frappe sur la poitrine. Je répète la même chose chaque nuit. Et chaque fois, il me tient fort dans ses bras jusqu'à ce que je me calme. J'ai vraiment peur que ma mère ne m'aime plus, même si elle continue à prendre un bain avec moi et à me dire : « Mon fils, tu m'es plus cher que tout au monde. »

J'ai six ans. Je ne frappe plus mon père. Je me suis fait à l'idée de dormir avec lui aussi. Pour mon anniversaire, mon père vide la pièce à côté de notre chambre. Il déplace tout : les vêtements, les livres et les meubles. Ensuite, il y installe une table de travail, une étagère et une boîte en bois pour mettre des jouets.

Je lui dis :

— C'est vraiment ma chambre ?

Il sourit :

— Oui. C'est seulement à toi.

Il ouvre la porte coulissante de l'*oshiire* et dit :

— Tu pourras mettre ton futon ici quand tu préféreras dormir tout seul.

Je réponds aussitôt :

— Oui ! Je veux rester dans ma chambre tout seul la nuit aussi.

En avril, j'entre à l'école primaire. Je quitte la maison avec mon père. Nous marchons quinze minutes jusqu'à l'école. Puis, mon père prend l'autobus pour aller au laboratoire. Même le premier jour d'école, mon père m'accompagne pour rencontrer le directeur et mon instituteur. Je retourne tout seul à la maison où ma mère m'attend avec un goûter sur la table.

Sur le chemin de l'école je passe devant une église qui s'appelle « Uragami-Tenshudô ». C'est un immense bâtiment. Je suis curieux de voir l'intérieur mais j'hésite à y entrer.

Je ne me fais pas d'amis à l'école non plus. Je passe mon temps libre dans ma chambre à dessiner, à lire, à faire du bricolage. Parfois, je descends au ruisseau qui coule devant notre maison. Il y a de petits poissons. J'en attrape à la main, et avant de rentrer à la maison je les relâche dans l'eau.

Un collègue de mon père dit à mes parents :

— Pauvre Yukio. Il n'a pas encore d'amis.

Mon père lui dit :

— Au contraire. Il a de la chance. Il s'intéresse à beaucoup de choses. Son instituteur dit qu'il est gentil avec les autres. Il a de bons résultats à l'école. Il aide même des camarades de sa classe quand ils ont des difficultés. Je suis fier de mon fils.

Le jour de mon septième anniversaire, je marchais le long d'un parc. Je vois une petite fille jouer sur le terrain de sable. À côté d'elle, il y a un homme qui lit un livre sur un banc. Cette scène me rappelle ELLE et son père, à Tokyo.

Qui étaient-ils ? J'y réfléchis sans cesse. Après quelques jours, je demande à ma mère :

— Je me souviens de mon amie et de son père à Tokyo. L'homme que j'appelais *ojisan* est mon vrai père, n'est-ce pas ?

Ma mère paraît choquée. Son visage est devenu très pâle. Elle se tait. J'attends longtemps sa réponse. Finalement, elle dit, les yeux baissés :

— Oui, c'est ton vrai père.

Sa voix tremble. Je demande :

— Et mon amie, qui est-elle ?

Ma mère répond :

— Ton amie est ta demi-sœur.

Je dis :

— Ma demi-sœur ? Qu'est-ce que ça veut dire ?

Elle explique :

— Elle a le même père que toi. Mais sa mère n'est pas moi.

Je suis déjà embrouillé :

— Mon vrai père a divorcé de toi et épousé la mère de mon amie ?

Ma mère secoue la tête :

— Non, ton vrai père et moi n'étions pas mariés.

— Je ne comprends pas, dis-je. Sans mariage, comment peut-on avoir des enfants ?

Elle ne répond pas. Je demande :

— Alors, pourquoi tu m'as menti en me disant que mon vrai père avait disparu avant ma naissance ? Pourquoi je devais appeler mon vrai père *ojisan* ?

— Parce qu'il n'aimait pas que les gens sachent qui tu étais.

Nous nous taisons longtemps. Je continue à poser des questions :

— Ma demi-sœur, est-ce qu'elle est plus petite que moi ?

— Oui, répond ma mère, de trois mois plus jeune que toi.

Je dis :

— Je me suis déjà décidé à l'épouser.

— Quoi ? Qu'est-ce que tu dis ?

— Nous avons fait une promesse de mariage.

— Non, non ! C'est impossible.

— Pourquoi, maman ?

— Parce que tu as le même sang qu'elle, celui de votre père.

— Il y a des problèmes avec ça, avoir le même sang ?

Elle dit :

— Tu comprendras quand tu seras devenu adulte. Arrête de poser des questions sur eux. Je voudrais oublier tout ce qui s'est passé à Tokyo. Cela reste entre nous, toi et moi, s'il te plaît.

Ma mère est sur le point de pleurer. Je n'insiste plus. Je ne veux pas qu'elle soit triste de nouveau. En fait, elle ne pleure plus depuis que nous sommes arrivés à Nagasaki.

Je garde le silence. Cependant, je ne peux m'arrêter de penser à ma demi-sœur et à mon vrai père. Je veux les revoir un jour, au moins ma petite sœur.

J'aurai bientôt dix ans. Maintenant, je suis capable de sortir seul plus loin qu'avant. C'est le début du printemps. Je monte sur la montagne d'où je peux voir la vallée entière. Le vent effleure doucement ma peau. J'aime l'odeur des herbes sauvages. Allongé dans l'herbe, je regarde le ciel clair. L'air pur. Les papillons volettent entre des fleurs sauvages. Les oiseaux chantent et passent au-dessus de moi en suivant celui qui mène la volée. Je ferme les yeux. La chaleur douce pénètre dans ma peau. Je veux rester ainsi éternellement.

Je pense à ELLE, ma petite sœur qui était ma seule amie d'autrefois. Je suis heureux d'avoir une sœur comme ELLE. Je ne connais même pas son nom. J'ai cherché partout le coquillage qu'ELLE m'avait donné, mais je ne l'ai trouvé nulle part. Pourtant j'ai le sentiment que nous nous rencontrerons un jour.

J'avais douze ans quand le Japon a attaqué Pearl Harbor. Depuis, l'armée japonaise continue à occuper des îles du Pacifique. La nouvelle de l'occupation de Manille, de Singapour et de Java a réjoui la population. L'armée nous fait croire que le Japon a toujours l'avantage sur les Américains. Pourtant, récemment, on a commencé à sentir que quelque chose n'allait pas bien. On manque de plus en plus de nourriture.

Un an et demi après l'attaque de Pearl Harbor, on apprend la défaite d'une troupe dans l'île d'Attu : deux mille cinq cents soldats sont morts. C'est la première défaite que l'armée japonaise annonce. Mon père me dit que l'armée contrôle les informations et qu'elle doit cacher la vérité.

Je demande à mon père :

— Les Américains ont massacré tous les soldats jusqu'au dernier ? Comment ?

Il répond :

— C'est le *gyokusaï*. On se suicide avant d'être capturé.

Son visage se crispe.

Un jour, mon père reçoit l'ordre d'aller travailler en Mandchourie. Il m'explique qu'on a besoin de pharmacologues pour faire des recherches sur des médicaments de guerre. Ma mère et moi nous inquiétons de son départ. Il nous dit :

— Ne vous inquiétez pas. Je ne suis pas soldat, je n'irai pas au front. Le *Manshûkoku* n'est pas une terre étrangère, c'est notre pays maintenant. Et j'y resterai seulement six mois.

J'insiste :

— Mais c'est un pays comme la Corée, dont l'armée japonaise s'est emparée. On oblige les Coréens à changer leur propre nom en japonais et à apprendre le japonais. Tu m'as dit que l'armée avait massacré beaucoup de Coréens qui avaient participé au mouvement de l'indépendance. On doit y haïr les Japonais. C'est dangereux.

Mon père continue :

— Dangereux ou non, je dois y aller. C'est l'ordre de l'armée. C'est la guerre. Yukio, fais attention à ce que tu dis à l'extérieur. Tout les gens qui s'opposent à l'armée seront dénoncés à la police.

Et il se tourne vers ma mère :

— J'ai un collègue de Tokyo qui est venu me remplacer à mon travail. Il habite maintenant le centre-ville de Nagasaki avec sa famille. Ils sont censés emménager dans la maison mitoyenne qui vient de se libérer. C'est un endroit un peu isolé, ici. Ce serait mieux d'avoir des voisins, surtout pendant mon absence.

Ma mère demande à mon père :
— Qui ça ?
Il répond :
— Tu ne le connais pas. C'était aussi un de mes amis à l'université, à Tokyo.

Au début de l'été, le collègue de mon père et sa famille ont emménagé dans la maison d'à côté. La fille du collègue s'appelle Yukiko Horibe. Ses parents me l'ont présentée le jour de leur arrivée. Elle a l'air d'avoir un caractère ferme et bourru. Je n'ose pas encore l'aborder.

Le dernier soir avant le départ de mon père, ma mère prépare un repas de circonstance. Mon père boit. Il se grise. Il fait chaud. Nous sortons faire une promenade. Nous marchons le long du ruisseau. C'est la pleine lune. Mon père nous répète : « Quelle belle lune ! » Je lui dis : « Tu pourras voir la même lune en Mandchourie. » Il rit en mettant sa main sur mon épaule. Il est encore gris. Ma mère marche en silence. Ce soir, nous nous couchons tôt ; mon père doit quitter la maison à cinq heures du matin.

Je me réveille au milieu de la nuit. J'ai envie. Quand je vais aux toilettes, j'entends du bruit provenant de la chambre de mes parents. « Sont-ils encore éveillés ? »

Je m'approche. La porte coulissante de la chambre n'est pas complètement fermée. Par l'étroite ouverture, je vois ma mère et mon père allongés, nus. Je me frotte les yeux. La lumière éclaire le dos blanc de ma mère. Ses longs cheveux noirs couvrent ses épaules, son visage repose dans ses mains. Je vois clairement le contour de ses fesses. Mon père est allongé sur le côté. Il lui caresse les épaules, le dos, les fesses, les cuisses. « Quelle belle peau ! Si soyeuse ! » dit-il. Ma mère se tourne sur le dos. Mon père lui caresse les seins, le ventre. Quand il touche son sexe, ma mère se redresse. Il prend un mamelon dans sa bouche, tout en lui caressant le sexe. Ma mère halète et se tortille des hanches. Il dit : « Ah, tu es vraiment sensuelle, Mariko. Tu me manqueras beaucoup. » Il monte sur elle. Il l'embrasse sur le visage et dans le cou. Il bouge les fesses. Ma mère gémit.

Je vais aux toilettes et je retourne dans ma chambre. Je ne peux plus dormir. Tout mon sang m'est monté à la tête.

Le matin, ma mère me réveille. Je n'ai guère dormi.

Elle me dit :

— Ton père va partir dans quelques minutes. Viens le saluer.

Je sens que mon caleçon est mouillé. J'attends que ma mère sorte de ma chambre. Je touche le tissu. C'est visqueux. Je change de caleçon. J'entre dans le salon où mon père est en train de boire du thé. Je reste debout. Je regarde son visage distraitement. Il me dit en souriant :

— Tu rêves encore ?

Je ne réponds pas. Il dit :

— Yukio, tu as déjà quatorze ans. Tu t'occuperas de la maison pendant mon absence. Écoute bien ta mère et aide-la autant que possible. S'il y a des problèmes, n'hésite pas à demander à mon collègue, monsieur Horibe.

Je reste sans mots. Il part au point du jour. Ma mère et moi le suivons des yeux jusqu'à ce qu'il disparaisse. Nous entendons le coq chanter au loin. Je ne parle pas à ma mère de toute la journée.

L'été est fini. On apprend que les étudiants d'université qui avaient le privilège de continuer leurs études sont maintenant aussi visés par la conscription, sauf les étudiants de la faculté des sciences et de la technologie. Certains étudiants tentent d'y échapper en changeant de faculté. On a également élargi la conscription aux hommes âgés de quarante-cinq ans. Monsieur S., qui travaille dans notre école, me dit :

— Rappelle-toi, Yukio. J'aurai quarante-cinq ans l'année prochaine. S'il faut envoyer au front un homme âgé comme moi, c'en sera fini pour le Japon.

Toutes les deux ou trois semaines, ma mère reçoit une lettre de mon père. Il décrit son travail au laboratoire, la ville et les Chinois qu'il côtoie. Il dit que lui et ses voisins chinois s'entendent très bien, qu'ils s'invitent à dîner, qu'il est en train d'apprendre le chinois. Ma mère me demande de répondre à mon père, car elle n'est pas capable de bien écrire. J'écris alors quelques phrases simples : « Nous allons très bien ici. Monsieur et madame

Horibe sont gentils. Ne t'inquiète pas. » Ma mère me dit d'un ton déçu : « C'est tout ? » Je dis : « Oui, c'est tout. »

En effet, monsieur et madame Horibe sont gentils avec nous. Madame Horibe partage des légumes que sa cousine lui envoie du centre-ville de Nagasaki. Monsieur Horibe m'emmène au laboratoire et me montre les installations. Il m'explique de temps en temps ce qui se passe dans le monde comme mon père le faisait. Il me dit qu'il a voyagé en Europe et en Amérique du Nord quand il était étudiant à l'université. « Il est évident que le Japon perdra la guerre tôt ou tard. Le niveau de force militaire et de technologie des États-Unis est incomparablement plus élevé que celui du Japon. C'est effrayant d'être ignorant », répète-t-il.

Monsieur Horibe me prête des livres scientifiques. Cela me plaît beaucoup, car il n'y a plus de livres qui m'intéressent maintenant. Le gouvernement interdit la vente de certains livres, surtout ceux d'origine étrangère.

Un jour, il me montre trois livres, intitulés en japonais : *Manifeste du parti communiste*, *Le Capital* et *La guerre civile en France*. Je lui demande : « Vous êtes communiste ? » Il me répond : « Non, mais lire ce genre de livre est aussi important pour acquérir des connaissances. La lecture enrichit l'esprit. Il ne faut pas arrêter de lire à cause de la guerre. Je les ai déjà lus dans les éditions originales. C'est intéressant. » Il me les passe en me rappelant d'être discret au sujet de ces ouvrages.

Monsieur Horibe m'invite chez lui. Yukiko ne se montre jamais.

Quelques mois ont passé depuis le départ de mon père. Hier, ma mère a reçu une lettre annonçant qu'il devrait rester en Mandchourie plus longtemps que prévu. Je regrette d'avoir été brusque envers lui le matin où il est parti là-bas, ainsi que dans la lettre.

La situation dans les îles du Pacifique se détériore. Si le Japon perd la guerre, les Japonais vivant dans les colonies seront exposés aux risques de vengeance. Je suis inquiet pour la sécurité de mon père.

Ma mère me dit :

— Qui pourrait haïr quelqu'un comme ton père ?

J'essaie de lui écrire plus souvent.

La semaine passée, j'ai parlé avec Yukiko pour la première fois. Elle est venue dans le bois de bambous quand je lisais un livre, assis sur une pierre. En dépit de ma première impression négative, elle parle franchement avec moi.

Maintenant, je partage avec elle l'endroit où je passais du temps tout seul. Les gens ne s'aventurent que rarement ici. On n'entend rien, sauf le bruissement des feuilles de bambou. Le ciel est couvert de feuilles et la lumière du soleil apparaît et disparaît avec le vent. Il y a des *tsubaki* qui fleurissent en hiver. Yukiko dit que les *tsubaki* sont ses fleurs préférées. Nous parlons en marchant, nous lisons des livres, assis l'un à côté de l'autre sur une pierre.

Yukiko dit :

— Cette tranquillité, c'est incroyable !

Je réponds :

— Oui, vraiment. Cet endroit nous fait oublier tout ce qui se passe dans le monde.

La nouvelle année est arrivée.

Il n'y a plus de cours maintenant. Les étudiants de notre âge ou plus vieux doivent travailler dans une usine réquisitionnée par l'armée. Tous les matins, le directeur nous donne des instructions. Et de temps en temps, un commandant vient inspecter l'usine et nous fait un long discours en criant : « Le Japon gagnera la guerre, c'est certain ! Ce n'est pas seulement la force militaire qui nous amène à la victoire, c'est aussi la force morale de tout le monde ! Sacrifier sa vie pour l'Empereur, c'est la vertu même. Sachez bien que, devant lui, la vie de chacun est plus légère qu'une plume. » Il crie, tout rouge : « Travaillez fort ! Pensez aux soldats qui combattent l'ennemi jusqu'à la mort ! »

Tout le monde écoute, silencieux. Les paroles offensantes pour l'armée sont interdites. Si on lui réplique, on est giflé.

Après le travail, je me dépêche de me rendre au bois de bambous en souhaitant que Yukiko y vienne aussi. Je suis très déçu quand elle n'est pas là.

Dans le bois, Yukiko me parle du discours du commandant de son usine. Elle dit :

— Pourquoi doit-on perdre la vie si facilement ? Il nous dit : « Il faut se battre jusqu'à la mort. Ne pas revenir vivant. C'est honteux d'être fait prisonnier. Cela déshonore non seulement le soldat mais aussi sa famille et toute la parenté. » On considère la famille d'un soldat comme otage. Pauvres soldats ! Le pire, c'est qu'ils croient en une telle idéologie stupide créée par le gouvernement pour gagner la guerre.

Je réponds :

— Oui, vraiment. On est paralysé par le lavage de cerveau de la nation, comme dit ton père.

Elle prend un ton grave :

— N'accepte pas de devenir un soldat, Yukio. Jamais !

Nous lisons tranquillement un livre, l'un à côté de l'autre. Tout d'un coup, Yukiko dit :

— Yukio, j'ai un petit ami.

Ces paroles me décontenancent. En plus, elle le dit en souriant. Je croyais qu'elle connaissait mes sentiments envers elle.

Je demande, très triste :

— Qui est-ce, ton petit ami ?

Elle répond encore en souriant :

— Tu ne le connais pas. Je vais te montrer sa photo. Il est vraiment charmant. Regarde !

Elle sort la photo d'entre les pages de son livre. Je la regarde timidement. C'est un petit garçon à côté d'une petite fille. Yukiko explique :

— C'est une photo d'il y a douze ans. J'avais trois ans. Ce garçon-là est mon petit ami.

Je suis encore sérieux :

— Où est-il maintenant ?

— Je ne sais pas, dit-elle. C'est un garçon avec qui je jouais quand j'étais petite. C'est tout. Mais je l'aimais beaucoup.

Elle me regarde. Elle remarque mes yeux mouillés.

— Qu'est-ce qu'il y a, Yukio ? Pourquoi pleures-tu ?

— Parce que je pensais que c'était ton petit ami de maintenant. Ne me taquine pas comme ça. J'ai eu un coup au cœur.

Elle baisse la tête, d'un air gêné. Je suis envahi par l'envie de la serrer dans mes bras.

Je continue à lire. C'est l'histoire d'un médecin qui a voué sa vie aux habitants d'un village isolé. Yukiko ramasse des feuilles de ginkgo jaunies, qui sont éparpillées par terre comme les motifs d'un tapis. Je lui demande :

— On peut manger les noix. Mais qu'est-ce qu'on fait des feuilles ?

Elle en met une sur la page que je suis en train de lire. Le bout de la feuille de ginkgo dépasse du livre. Elle dit :

— Un signet. La feuille est jolie et utile, n'est-ce pas ?

Elle s'assied à côté de moi. Son genou gauche touche mon genou droit. Elle commence à placer les feuilles entre des pages de son livre, une à une. Je vois sa nuque blanche, entre ses cheveux noirs. Nos genoux restent collés l'un à l'autre. La chaleur de Yukiko se propage en moi : un courant traverse mon corps. Mon sexe durcit. Je rougis. Je n'arrive plus à me concentrer sur le livre. Pour cacher mon trouble, je détourne la tête. Elle ne voit rien et demande :

— Pourquoi les feuilles de ginkgo sont-elles en forme d'éventail ? Elles ne sont pas ovales comme les autres.

Je réponds sans regarder son visage :

— Je ne sais pas.

Nous marchons. Elle me suit en cherchant des feuilles colorées. Elle tombe en butant contre un caillou.

— Ça va, Yukiko ?

Je lui tends la main. Elle la saisit et se relève.

— Ce n'est rien, merci, répond-elle.

Pourtant, je ne peux pas lâcher sa main. Elle me regarde un moment et baisse les yeux. Elle enlève la terre sur ses genoux, de l'autre main. Nous continuons à marcher en silence. Elle ne ramasse plus de feuilles. Nos mains restent jointes jusqu'à la fin de la promenade.

Le soir, énervé, je ne peux m'endormir. Dès que je ferme les yeux, l'image de Yukiko émerge dans le noir. Je me rappelle le doux toucher de sa main.

J'allume la lampe. J'ouvre le livre que j'ai commencé à lire aujourd'hui dans le bois. Le médecin de l'histoire rendait régulièrement visite à tous les villageois afin de constater leur état de santé. Il n'attendait pas que les gens tombent malades. Il félicitait ceux qui étaient en bonne santé et leur demandait d'expliquer aux autres leur recette. Il n'a pas gagné d'argent car le nombre de malades diminuait de plus en plus. Au lieu de cela, il a gagné le respect des villageois. Maintenant, le village est connu pour la longévité de ses habitants. On y voit naître d'éminents médecins qui reprennent l'esprit de leur prédécesseur.

J'aimerais devenir médecin comme lui et vivre dans un village ou dans une île où personne ne voudrait aller. Je ferme les yeux. J'essaie d'imaginer mon avenir dans une île. Aussitôt, je vois Yukiko à côté de moi, comme ma femme.

C'est l'hiver. Dans le bois, je ne sens pas le froid en tenant la main de Yukiko. Aujourd'hui, le silence est profond. Nous n'entendons que le bruit léger de nos pas dans les feuilles mortes. Nous ne voyons personne ici. Yukiko paraît absorbée dans ses méditations. Après un long silence, elle s'arrête :

— C'est étrange.

— Qu'est-ce qui est étrange ?

— Nous sommes ici, tout seuls. Personne ne le sait, sauf nous.

Je dis en regardant autour de nous :

— J'espère que non. Si quelqu'un nous trouve ainsi, on nous réprimandera sur-le-champ en criant : « *Hikokumin* ! Pensez aux soldats qui se battent au front ! »

— Non, Yukio. Je veux dire...

Elle lève les yeux au ciel :

— Je pense à ce qui arrive à la mémoire après la mort. Ce qu'on a dit, ce qu'on a pensé, ce qu'on a appris... Où ça va après la mort ?

Je réponds :

— Je ne pense pas à la vie après la mort. Je crois que la mémoire disparaît au moment de la mort.

Elle demande :

— Comment peut-on savoir que la mémoire disparaît ? On sait que le corps, incinéré ou enterré, se décompose, parce qu'il possède une forme matérielle. Mais la mémoire, qui n'a pas de forme, comment peut-on savoir qu'elle disparaît ?

Je ne sais que répondre. Je demeure silencieux. Elle a peut-être raison. Nous continuons à marcher. Elle a toujours l'air de se perdre dans ses pensées :

— Je crois que notre mémoire, à moi et à toi, se perpétuera dans le bois, éternellement.

Je serre fort sa main. Nous nous asseyons sur une vieille souche. Je lui tiens la taille afin qu'elle ne tombe pas. Elle me regarde pour me dire quelque chose. Son visage est tout près. J'ai des palpitations. Nous nous fixons un moment.

Je dis :

— Je t'aime, Yukiko. Tu es la seule personne avec qui je veux vivre. Je ne peux plus imaginer ma vie sans toi.

Son regard brille. Je vois ses yeux se mouiller. Les larmes coulent. Elle ferme les yeux. Je l'embrasse sur les paupières et sur les lèvres. Mes larmes se mêlent aux siennes.

Je rencontre monsieur S. dans la rue. Il me crie :

— Saïpan, Guam et Tinian ont toutes capitulé ! Et maintenant, l'armée a commencé à combattre l'ennemi avec des kamikazes. C'est effrayant ! En plus, les pilotes sont des officiers qui ont terminé les études les plus poussées. Quelle perte !

Quelques semaines plus tard, monsieur S. lui-même reçoit son *aka-gami* et il est envoyé au front.

La nouvelle année est commencée. Les défaites du Japon dans des îles du Pacifique se poursuivent. Après avoir occupé l'île d'Iwo, les Américains ont entrepris de bombarder Tokyo et Osaka. Et finalement, ils ont débarqué dans l'île d'Okinawa. Ils approchent de Kyushu où nous habitons. La rumeur court qu'on tente d'obtenir du poison pour le *gyokusaï*.

L'été est arrivé. Les cigales se mettent à faire cri-cri. Deux ans ont passé depuis le départ de mon père en Mandchourie. Nous n'avons aucune nouvelle, le laboratoire a perdu contact avec lui. Ma mère et moi souhaitons qu'il soit toujours en vie.

L'alerte aérienne commence. Les B-29 américains bombardent aussi Nagasaki. Le vrombissement des avions de combat, l'explosion... Puis le silence. L'odeur de la mort se propage dans la ville.

Heureusement, notre petit quartier, situé à trois kilomètres du centre-ville de Nagasaki, n'est jamais visé par les bombardements. Des gens d'autres quartiers ou bien d'autres villes se réfugient ici.

Tout le monde est épuisé. Tout le monde a faim. Pourtant il faut continuer à travailler à l'usine. Je suis souvent giflé par le commandant qui dit que je n'ai pas l'air sérieux quand il parle. Il me soupçonne même d'être *aka*. Il me dit :

— On a appris que ton père avait disparu en Mandchourie. Il se peut qu'il prenne part aux activités du parti communiste là-bas.

Je sais que ce n'est qu'un ouï-dire, mais je ne dis rien. Chez moi, je cache soigneusement les livres que monsieur Horibe m'a prêtés.

Et aujourd'hui, le commandant m'a frappé encore parce que je n'avais pas obéi à un ouvrier plus âgé que moi. Les explications de l'ouvrier à propos d'une machine n'avaient aucun sens. J'essayais de lui expliquer comment elle fonctionnait. Il était très fâché et insistait pour imposer sa manière. Le commandant m'a crié : « On n'a pas besoin de question théorique. Obéis aux ordres ! Pas le temps de discuter. »

Il fait frais dans le bois, même en été. Allongés sur le dos, Yukiko et moi regardons le ciel entre les feuilles de bambou. Aujourd'hui, il n'y a ni vent, ni bruissement de feuilles, ni cigales.

Nous sommes dans le silence total.

Je dis :

— Il y a quelqu'un que je te présenterai un jour.

Yukiko me demande :

— Qui est-ce ? Ça doit être quelqu'un de spécial pour toi. J'espère que ce n'est pas ta petite amie.

Elle me taquine. Je dis en souriant :

— Je ne suis pas méchant comme toi. C'est ma petite sœur.

Elle se lève et me regarde, étonnée :

— Ta sœur ? Je croyais que tu étais enfant unique comme moi.

Je réponds :

— Je veux dire ma demi-sœur. Nous avons le même père. Mais je ne l'ai pas vue depuis que j'ai quitté Tokyo avec ma famille.

Je me tais un moment et continue :

— J'ai été adopté quand j'avais quatre ans.

Je lui explique pourquoi ma famille est venue à Nagasaki. Je parle de mon enfance à Tokyo. Je parle aussi de ma mère qui était orpheline et maîtresse d'un homme marié.

— J'appelais cet homme *ojisan* sans savoir qu'il était mon vrai père. Il nous rendait visite, mais il ne passait jamais la nuit chez nous. Quand ma mère préparait un repas spécial, c'était le soir où il devait venir. Pourtant, il ne se montrait pas souvent. Ma mère et moi l'attendions longtemps devant la table. Le repas refroidissait. Je m'endormais sans manger.

Yukiko écoute en tenant ma main. Elle dit :

— Ta mère devait souffrir beaucoup et se sentir bien seule.

— Oui. Son visage triste est resté dans ma mémoire. En fait, elle a rencontré cet homme avant son mariage. Les parents de l'homme n'ont pas accepté qu'il épouse ma mère. Une orpheline pauvre et sans éducation. Ma mère n'avait que dix-huit ans quand elle a accouché. L'homme a refusé de me reconnaître comme son fils. Les enfants voisins m'appelaient *tetenashigo*. Il avait une fille, avec qui je jouais souvent.

Yukiko dit :

— Alors, c'est elle qui est ta demi-sœur.

— Oui, c'est ma petite sœur.

Elle demande :

— Quand as-tu découvert que c'étaient ton père et ta sœur ?

— Quand j'avais sept ans. En fait, c'était le jour de mon septième anniversaire. J'en ai eu l'intuition en regardant une fille et un homme au parc. J'insistais pour que ma mère me dise la vérité. Elle a reconnu que mon intuition était juste, mais elle a dit : « C'est fini entre nous. » Mon père adoptif croit toujours que mon vrai père a disparu avant ma naissance, comme ma mère le dit. Ma mère voulait oublier tout ce qui s'était passé à Tokyo. Elle refuse de me dévoiler leur nom. Je ne sais pas comment je pourrais les retrouver. Pourtant, mon père, c'est mon père, et ma sœur, c'est ma sœur pour toujours. Je ne peux pas les oublier.

Yukiko caresse ma main tout en écoutant mon histoire. Nous restons longtemps silencieux. Puis, elle demande :

— Ta demi-sœur, comment était-elle ?

Je réponds :

— Je ne me rappelle plus son visage. Je n'avais que quatre ans quand je l'ai vue la dernière fois.

— N'as-tu pas sa photo ?

— Non, dis-je. Je n'ai même pas de photos de mon enfance. Aucune.

— C'est dommage. Quand même, n'y a-t-il pas quelque chose d'elle dont tu te souviens ?

— Pas vraiment. Mais il y a une chose que je n'oublierai jamais. Une seule chose.

Yukiko est curieuse :

— Qu'est-ce que c'est ?

Je dis en souriant :

— J'ai promis de l'épouser.

Yukiko rit :

— À l'âge de quatre ans, tu l'as demandée en mariage ! Tu n'étais pas timide du tout !

Nous rions ensemble.

— En fait, dis-je, c'était elle qui voulait être ma femme.

— Elle devait être vraiment précoce.

Yukiko rit de nouveau mais son visage s'assombrit rapidement. Elle dit :

— J'espère que ta sœur est saine et sauve à Tokyo. Mes grands-parents maternels et paternels sont réfugiés dans la campagne qui s'appelle Chichibu. Tu sais que la ville de Tokyo a été détruite par les bombardements des B-29.

Je ferme les yeux. Kotokotokoto... J'entends le bruit du coquillage. Je répète dans ma tête : « Où es-tu ? »

Yukiko dit, les mains jointes :

— Pourvu que tu puisses retrouver un jour ta petite sœur.

Je la serre contre mon cœur. Je lève les yeux vers le ciel. Mes larmes tombent sur sa tête. Je voudrais la tenir ainsi à tout jamais. Elle lève son visage. Une grosse goutte tombe sur son nez. Elle sourit. Je lèche la goutte. Elle ferme les yeux. J'embrasse ses lèvres chaudes. Un frisson traverse mon corps.

Yukiko ne vient plus dans le bois de bambous. Je l'attends une semaine, deux semaines, trois semaines en vain. Je commence vraiment à m'inquiéter à son sujet. Qu'est-ce qui lui est arrivé ? Est-elle tombée malade ? Je ne la vois jamais devant la maison. Puis, un jour, je l'entrevois par la fenêtre. Elle marche sur le chemin qui mène au centre-ville. Je me précipite dehors. Je la hèle. Un moment, elle se retourne vers moi, mais elle continue à marcher sans me répondre. Elle évite même de me regarder. Chaque fois que je la croise dans la rue, elle détourne les yeux.

Je reste maintenant seul dans le bois, le cœur brisé. Cependant, je continue à lire ici en souhaitant qu'elle y revienne un jour.

Un soir, monsieur M., un collègue de mon père, m'invite chez lui à dîner. Lui et sa femme n'ont pas d'enfants. Ils me chérissent comme monsieur Horibe le fait. Monsieur M. dit à ma mère :

— Je voudrais emmener Yukio demain matin à l'hôpital universitaire. Je dois consulter des documents à la bibliothèque et j'ai besoin de son aide. Je vais avertir le chef de son usine.

Cela me réjouit. Je déteste aller à l'usine.

Ma mère lui répond :

— Merci, c'est gentil. Moi aussi, je partirai demain matin à la campagne avec madame Horibe. Elle va me présenter des gens qui voudraient acheter mes vêtements occidentaux.

Le lendemain, monsieur M. et moi arrivons à l'hôpital universitaire à neuf heures. Dans la bibliothèque, il me donne une liste de livres. Je les cherche alors qu'il parle avec un médecin. J'en trouve facilement quelques-uns. Monsieur M. commence à prendre des notes.

Vers onze heures, il termine son travail. Nous sortons de la bibliothèque et allons à un autre bâtiment en béton. Monsieur M. me dit qu'il voudrait revoir le médecin avant de quitter l'hôpital. En marchant, il salue les infirmières qui nous croisent. Elles nous sourient.

Nous entrons dans le bureau du médecin. Au moment où nous l'apercevons debout devant une fenêtre, un éclair éblouissant brille derrière lui. Une détonation suit. C'est la bombe ! On entend les cris des infirmières. Nous nous couchons immédiatement. Monsieur M. me hurle : « Ne bouge pas, Yukio ! » Les fenêtres sont déjà arrachées par le souffle de l'explosion. Le médecin a disparu. Les fragments de verre volent. Les livres tombent sur nous. Les chaises roulent violemment. Je regarde la scène en retenant mon souffle. Je crois que je vais mourir. L'extérieur devient sombre. Puis, un silence sinistre...

II

Kotokotokoto... J'entends ma femme couper des légumes. Je me regarde dans le miroir en me rasant. Les rides au front. La tête grisonnante. Les yeux creux. Quelqu'un me disait, quand j'étais encore jeune, que j'avais des yeux nostalgiques comme ceux de ma mère. Qui me le disait ? Je reste immobile devant le miroir. Le rasoir en l'air. Le temps s'arrête.

Je marche quelques pas derrière ma mère pour aller à l'église. Je vois sa jupe évasée s'agitant au rythme de sa marche et de ses longs cheveux noirs. Les couleurs des fleurs d'hortensia. Le bruit de la pluie, qui tombe sur le parapluie de papier huilé. Les escargots. La barbe noire de l'homme étranger. La silhouette de la petite fille s'éloignant avec son père. Et le bruit du coquillage.

Ces images sont gravées si profondément dans ma mémoire que jamais elles n'ont pâli avec le temps.

Je me demande : « Où est ma petite sœur ? Où est mon vrai père ? Sont-ils encore vivants ? » Ces questions me reviennent, sans cesse. Je ne me rappelle plus leur visage. Je ne sais toujours pas leur nom. Ma mère est la seule personne qui puisse répondre à mes questions. Pourtant, elle garde le silence même maintenant que mon père adoptif est mort il y a treize ans.

« Je pourrai être ta femme quand je serai grande ? » C'est la seule phrase de ma petite sœur dont je puisse me souvenir. Ou bien était-ce une illusion ? Mon regard se perd dans le miroir. Ma conscience s'éloigne.

— Mon chéri ! Le petit déjeuner est prêt.

Shizuko m'a appelé de la cuisine. Je reviens à moi. Je me lave la figure et m'essuie avec une serviette. Je me regarde de nouveau dans le miroir. Les yeux nostalgiques comme ceux de ma mère ? Ah, je me rappelle maintenant que c'était mon amie d'autrefois, Yukiko, qui le disait.

Je sors lentement du cabinet de toilette. L'odeur de la soupe de *miso* effleure mes narines.

J'entre dans la cuisine. J'entends le mot « Nagasaki » provenant du téléviseur portable placé sur le buffet. Shizuko me dit en mettant des assiettes sur la table :

— Cela fait déjà cinquante ans.

— Oui, déjà, dis-je en m'asseyant.

Je regarde sur l'écran des images de la commémoration des victimes de la bombe atomique. Aujourd'hui nous sommes le 9 août. La voix du présentateur dit :

— Ce matin-là, à 11 h 02, une bombe atomique de plutonium a explosé au-dessus du centre d'Uragami...

Shizuko dit :

— Ta mère et toi avez eu vraiment de la chance.

Je fais un signe de tête. Elle continue :

— À cette époque, ton père avait déjà été envoyé en Sibérie, n'est-ce pas ?

Je réponds :

— Oui, mais ma mère et moi n'en savions rien. Il est revenu à Nagasaki deux ans après la guerre.

Mes parents ont emménagé chez nous, à Kamakura, il y a vingt ans. Je ne suis pas retourné à Nagasaki depuis. La ville a changé. Ce n'est pas celle que j'ai connue, évidemment. À vrai dire, c'est depuis que mon amie Yukiko est partie que ma vie là-bas a changé.

Je la recherchais dans la scène sanglante. Chaque fois que je voyais une fille qui ressemblait à Yukiko, je m'arrêtais. « Yukiko ? » La fille se retournait. Un visage brûlé me regardait, l'air absent. Elle secouait la tête. « Yukiko, où es-tu ? » Je courais en pleurant. Quand j'appris qu'elle était saine et sauve, je fus vraiment soulagé, même si elle évitait de me revoir. Malheureusement, son père, monsieur Horibe, était mort lors de l'explosion. Selon madame Horibe, il était censé aller, comme chaque matin, au laboratoire, où ses collègues avaient échappé à la catastrophe.

Malgré cela, il était mort à la maison. Madame Horibe avait trouvé les souliers de travail de son mari dans les ruines. Quelques semaines après l'explosion, je croisai Yukiko dans la rue. Elle me dit : « Je ne peux plus te rencontrer. » Elle était tout près d'éclater en sanglots. Le lendemain, elle partit avec sa mère à Tokyo.

Mon cœur se serre. Je regarde de nouveau la télévision. La commémoration continue, mais ma vue est brouillée par les larmes.

Je dis à Shizuko :

— Tu peux l'éteindre ?

Elle me jette un coup d'œil et l'éteint.

Maintenant, nous sommes trois dans la maison : ma mère, Shizuko et moi. Nos enfants vivent chacun dans leur appartement à Tokyo. Ils vont tous bien.

Je suis à la retraite. J'ai travaillé trente-trois ans comme chimiste dans le laboratoire d'une compagnie de produits alimentaires. Je ne suis pas riche, mais j'ai un bon train de vie grâce au régime de retraite de la compagnie et à la rente nationale. Nous habitons notre propre maison. Nous n'avons plus de dettes.

Shizuko et moi sommes mariés depuis plus de trente ans. Nous nous entendons bien. Elle me met à l'aise. J'ai de la chance.

Mon père adoptif était un homme sincère. Ma mère me répète toujours : « C'est vraiment grâce

à mon mari que nous pouvons maintenant mener
une vie heureuse. »

Il est quatre heures. Ma mère doit prendre son repas de l'après-midi. Je vais à la cuisine et je place sur un plateau le repas que Shizuko a préparé. Un potage à la citrouille, du riz, du tofu, des aubergines cuites dans le *shôyu*. Chaque petite portion est servie dans son assiette. Ma mère ne mange que deux fois par jour. Son appétit diminue de plus en plus. Elle a besoin de notre aide pour manger. Elle n'est plus capable de remuer les bras avec facilité.

Doucement, j'ouvre la porte coulissante de sa chambre. Elle s'est assoupie. Je dépose le plateau sur la table à côté du lit. Elle ne se couche plus sur les tatamis comme nous. Après la mort de mon père, elle a fait enlever les tatamis et installer un lit occidental. Elle avait dit que pour elle ce serait plus facile de se lever.

Je m'assieds sur la chaise devant la table. Je regarde le visage de ma mère encore endormie. De petites rides au coin des yeux. Des vaisseaux sanguins saillants sur la peau pâle. Cependant, elle garde l'image de la beauté d'autrefois. Je replace les cheveux qui sont devant son œil.

Elle a quatre-vingt-quatre ans. Elle a survécu non seulement à la bombe atomique de Nagasaki, mais aussi au Kanto-*daïshinsaï*.

Elle avait douze ans. Le lendemain du séisme, ma grand-mère avait laissé ma mère à l'église où un prêtre étranger s'occupait des orphelins. Elle était ensuite partie à la recherche de son frère, le seul parent que ma mère connaissait. C'était la dernière fois que ma mère avait vu sa mère. Son oncle non plus n'était pas revenu. À partir de ce jour, ma mère est devenue orpheline. C'est une enfant naturelle, comme moi.

Avec d'autres orphelins, elle resta dans cette église jusqu'à l'âge de quinze ans. Après avoir trouvé un emploi de coursière dans une compagnie, elle quitta l'église. Le prêtre rendit alors à ma mère l'argent que ma grand-mère lui avait confié. C'est dans cette compagnie qu'elle fit la rencontre de mon vrai père. Quand je suis né, elle avait seulement dix-huit ans. Elle accoucha dans son petit appartement, avec l'aide d'une sage-femme et d'une autre femme, qui travaillait à l'église.

Ma mère murmure quelques mots en entrouvrant les yeux.

Je lui demande :

— Qu'est-ce que tu dis ?

Elle ne répond pas. Elle ferme de nouveau les yeux. Elle doit faire un rêve.

Elle garde le lit presque toute la journée. L'année dernière, elle a glissé sur le verglas dans le jardin. Elle s'est cogné la tête sur une pierre et fracturé la jambe. Le docteur est venu tout de suite. Après l'avoir examinée, il nous a dit qu'elle était trop faible pour être opérée, que si elle souffrait, elle n'avait qu'à prendre des analgésiques. Depuis cet accident, sa santé a décliné rapidement. Elle est devenue dure d'oreille. Elle s'est mise à avoir des hallucinations, visuelles et auditives. Shizuko m'a dit que c'était pareil pour sa grand-mère dont elle avait pris soin. Elle écoute avec patience ma mère dire des choses qui n'ont aucun sens.

Le visage de ma mère pâlit de jour en jour. Je me demande si elle pourra se maintenir jusqu'à la fin du *Bon*. Le docteur me dit : « Elle s'est abîmé le cœur. Évitez-lui tout dérangement. »

Ma mère murmure de nouveau. Elle se réveille. Je dis, en montrant le potage :

— Shizuko a cuit la première citrouille du jardin. C'est délicieux.

— Merci. Je le mangerai un peu plus tard.

Je l'aide à se redresser et à s'appuyer contre des oreillers.

Elle demande :

— Le *Bon*, quand ça ?

— La semaine prochaine.

— Déjà ?

— Oui, dis-je en me rappelant des images à la télévision sur la commémoration des victimes de la bombe atomique à Nagasaki.

Je ne dis pas à ma mère que nous sommes le 9 août : elle n'a plus la notion du temps et ses souvenirs sont en désordre. En tout cas, ce n'est pas un sujet agréable du tout.

Elle demande :

— Tous mes petits-enfants reviendront-ils ici ?

— Je crois que oui.

— Je visiterai la tombe de mon mari avec eux. Cela risque d'être le dernier *Bon* où je pourrai les voir. Je n'avais pas compté vivre si longtemps.

Elle répète ces derniers mots chaque année à cette période. Avant, je les écoutais sans prêter attention. Pourtant, cette fois-ci, j'ai le pressentiment qu'elle a raison. Sa mort est une question de temps. Si je souhaite qu'elle parte tranquillement, je ne dois pas la déranger avec des questions sur mon vrai père et ma demi-sœur. Je me répète : « Il faut oublier tout cela. » J'essaie de penser à quelque chose d'autre.

Ma mère dit tout d'un coup :

— Je n'ai pas mérité ton père.

Cela me déconcerte. Pourquoi dit-elle cela maintenant ?

Elle continue d'une voix faible :

— Il était trop bon pour moi. C'était un homme au grand cœur. J'ai accepté sa demande en mariage seulement pour toi. J'aurais accepté n'importe qui pour que tu puisses avoir un père.

Je dis :

— Il n'y a aucune raison de te faire des reproches ainsi. Mon père a mené une vie heureuse avec nous, avec ses petits-enfants. Tu étais toujours gentille avec lui. Tu as pris soin de lui jusqu'au dernier moment. Peu importe la raison de votre mariage, vous avez vécu ensemble presque cinquante ans, en paix. Cela est déjà remarquable, n'est-ce pas ?

Elle ne répond pas. Je ne sais plus quoi dire. Je pense à ce que mon père m'avait dit quand j'étais encore étudiant à l'université : « Avant ta mère, j'ai épousé une première femme que mes parents avaient choisie. J'étais reconnaissant envers mes parents, car elle était belle et gentille. Mais ils se sont mis à intervenir dans notre vie et à se plaindre de tout ce que ma femme faisait. Je suis stérile. Je ne le savais pas. Mes parents, surtout ma mère, reprochaient à ma femme de ne pas pouvoir tomber enceinte. Je n'arrivais pas à la défendre et elle m'a quitté. Je le regrette. J'étais déprimé pour la première fois de ma vie. Un jour, en passant devant une maison, j'ai vu une annonce sur la clôture. En fait, c'était une église et le prêtre étranger demandait l'aide de quelqu'un pour la réparation du toit. Je suis entré dans l'église et je lui ai offert mon aide. C'est ainsi que je vous ai rencontrés, toi et ta mère. Mes parents se sont tellement opposés à mon deuxième mariage. Ma mère avait employé un détective privé pour faire des recherches sur l'ascendance de ta mère. Ma mère avait dit : "Elle ne sait même pas où est le père de son enfant !" Mais je n'ai pas écouté mes parents. Je les ai quittés. Yukio, ne crois pas que j'ai sacrifié mes parents et l'héritage pour ma vie avec toi et ta mère. Au contraire, c'est vous qui m'avez sauvé de l'existence étroite que je vivais avec mes parents depuis mon enfance. J'étais trop obéissant pour leur faire plaisir. J'avais besoin d'une motivation déterminante pour leur échapper. »

J'avais écouté ces derniers mots en pensant à la vie de ma mère. J'avais dit à mon père : « Peut-être ma mère avait-elle aussi besoin de toi. Tout est complémentaire. Ce qui est important, c'est que nous soyons heureux, n'est-ce pas ? » Il avait répondu : « Oui, tu as tout à fait raison, mon fils. »

Il m'encourageait à vivre loin de ma mère, car elle s'attachait trop à moi, son seul fils, son seul lien de sang. Sinon, m'avait-il averti, ce serait difficile pour moi d'être indépendant. « Je ne veux pas que tu fasses la même erreur que moi », avait-il ajouté. Et après avoir fini l'université à Nagasaki, j'ai trouvé un travail à Tokyo. Ma mère était vraiment fâchée : « C'est trop loin ! Pourquoi n'as-tu pas choisi une ville près de Nagasaki, près de moi ? Tu es ma vie ! J'ai besoin de toi ! »

En fait, j'avais cherché un emploi à Tokyo parce que j'avais l'intention de retrouver là-bas ma demi-sœur et mon vrai père. Je voulais aussi savoir combien d'enfants il avait eus en plus de ma demi-sœur avec qui je jouais à Tokyo. Il était possible qu'après dix-huit ans, lui et sa famille aient déménagé. Cependant, je croyais pouvoir commencer mes recherches à Tokyo.

Avant de m'y rendre, j'ai demandé à ma mère de me donner au moins le nom de mon vrai père. Elle a refusé aussitôt, comme prévu : « Il a sa propre famille, sa femme et ses enfants. Il ne faut pas déranger sa famille. Sa femme ne sait rien de nous. »

Alors, j'ai demandé à mon père l'adresse de l'église et le nom du prêtre étranger. Mon père a dit, très étonné : « C'est incroyable ! Tu t'en souviens encore. *Shinpu-sama* doit avoir plus de soixante-dix ans. J'aimerais bien le revoir. Mais je ne suis pas sûr que l'église ou lui-même aient survécu aux bombardements des B-29. » Il m'a donné aussi l'adresse des parents de monsieur Horibe, en disant : « Tu peux leur rendre visite un jour. Ils me connaissent bien, car monsieur Horibe et moi étions bons amis, à Tokyo. » Les parents de monsieur Horibe ? C'étaient les grands-parents de Yukiko ! Mon cœur s'est mis à battre très fort. Ce serait aussi possible de revoir Yukiko. Mon père ignorait ce qui se passait dans ma tête.

L'église n'existait plus, comme l'avait imaginé mon père. J'ai visité plusieurs autres églises et interrogé des prêtres à son sujet. À ma grande surprise, personne ne la connaissait, ni le prêtre étranger, ni les deux femmes qui y avaient travaillé. Je ne savais plus où j'en étais. On m'a dit que la ville avait beaucoup changé après la guerre.

J'errais dans la ville qui avait été reconstruite. Quand j'apercevais une jeune fille de mon âge, je m'arrêtais et la suivais jusqu'à ce qu'elle disparût. Cela m'arrivait dans une rue, dans une gare, dans un restaurant, dans un parc... Je cherchais constamment une fille qui me ressemblait.

Quant à Yukiko, elle était déjà mariée et était partie à l'étranger, selon ses grands-parents. Ils m'ont donné sa nouvelle adresse. Quand j'ai lu son nom, « Yukiko Kamishima », j'ai senti mon cœur se déchirer.

Ma mère me dit :

— J'ai chaud.

Je me lève pour ajuster la température du climatiseur. Je l'ai installé quand mon père n'était plus capable de quitter son lit. Je m'assieds de nouveau sur la chaise.

Elle demande :

— Mes petits-enfants vont-ils bien ?

— Oui, Natsuko vient de rentrer de New York. Il y avait une conférence organisée par la firme pour ses clients américains. Natsuko leur a servi d'interprète. Fuyuki vient d'être promu chef de bureau. Et Tsubaki poursuit toujours ses études à l'université.

Ma mère dit, l'air content :

— C'est bien, très bien.

Elle fait une pause, puis demande :

— Tsubaki, qu'est-ce qu'elle étudie ? J'ai oublié.

— Archéologie.

— Quoi ? Je ne t'entends pas bien.

J'articule le mot à son oreille :

— Ar-ché-o-lo-gie.

— Ah, je m'en souviens...

Elle fait un signe de tête, les yeux fermés. Et tout à coup, elle demande :

— Pourquoi l'as tu nommée Tsubaki ?

Elle me pose la même question chaque fois que je parle des enfants et je répète la même réponse : « C'est parce qu'elle est née à la saison des fleurs de *tsubaki*. » Bien que ma mère puisse se rappeler l'origine du nom de Natsuko et de Fuyuki, elle ne peut jamais retenir celle de Tsubaki. Shizuko a nommé les deux premiers et moi la troisième, Tsubaki.

Ma mère attend ma réponse. Je dis à voix basse, en me demandant si elle est capable de m'entendre :

— C'est parce que j'avais une petite amie qui aimait les fleurs de *tsubaki*.

— Quoi ?

Étonnée, elle me regarde.

— Tu m'as bien entendu ! dis-je en souriant.

Elle dit sérieusement :

— Je ne savais pas que tu avais quelqu'un d'autre que Shizuko !

— Je n'avais que seize ans. Calme-toi, maman.

Ma mère avait aussi seize ans quand elle a rencontré mon vrai père, qui en a fait sa maîtresse. C'est un sujet tabou pour nous depuis des années. Je ne dois pas le réveiller.

Je dis exprès, comme un enfant qui supplie sa mère :

— Ne le dis à personne, maman.

Elle sourit :

— Tu parles comme un jeune garçon. D'accord, je tiendrai ma promesse.

Elle a raison. J'ai toujours seize ans quand je pense à cette fille. Son visage me revient à l'esprit. Elle s'amuse en revêtant mon gros manteau noir. Elle marche en sautillant dans le bois de bambous. Elle tourne la tête et sourit.

Ma mère demande :

— L'as-tu aimée beaucoup ?

— Oui. Elle a été ma seule amie et mon seul amour de jeunesse. Nous nous étions promis l'un à l'autre. Malheureusement, elle a épousé un autre homme.

Ma mère dit :

— Elle t'a trompé, alors ?

Je nie sans hésitation :

— Non. Il lui était arrivé quelque chose de grave qui l'avait empêchée de me revoir.

Le visage de ma mère s'assombrit :

— Ça doit être ses parents.

— Non. Ils étaient gentils avec moi, surtout son père.

— C'est étrange.

Je continue :

— Malgré tout, j'ai espéré notre réunion un jour.

Ma mère lève les yeux vers le plafond :

— C'est pour cela que tu t'es marié si tard... Tu avais trente-cinq ans quand tu as épousé Shizuko.

Je ne réponds pas. Peut-être est-ce vrai, ou bien je n'avais pas rencontré la personne idéale. Nous sommes silencieux. Je vois le jardin à travers les vitres coulissantes. Shizuko y cueille des pois dans un panier. Ma mère dit, taquine :

— Ta petite amie d'autrefois, était-elle aussi belle que Shizuko ?

— Elle était certainement belle pour moi. Elle était coquette comme toi, maman.

— Comme moi ? Il ne faut pas plaisanter de cette façon. Je suis ta mère !

Ma mère fait semblant de se fâcher. En fait, je voulais utiliser le mot « sensuelle » au lieu du mot « coquette ». Lorsqu'elle était jeune, elle attirait l'attention des hommes avec son physique très féminin : les cheveux longs, les seins abondants, la taille fine. De plus, son visage, qui n'appartenait à aucune race, lui conférait un air mystérieux. Elle était différente des femmes que je connaissais.

Ma mère demande, d'un air curieux :

— Comment s'appelle-t-elle ?

Désorienté, je dis :

— Qui ?

— Ta petite amie de jeunesse, bien sûr !

Je réponds avec un peu d'hésitation :

— Yukiko. Elle s'appelle Yukiko.

— Yukiko ? répète ma mère.

J'ajoute :

— Le nom de famille est Horibe. Tu te rappelles cette famille ?

Ma mère ouvre grand les yeux et me regarde fixement. Elle dit :

— Tu veux dire la famille de nos voisins dans...

Elle se tait. Je continue :

— Oui, dans le petit quartier d'Uragami, à Nagasaki. Le père de Yukiko a été tué par la bombe atomique. Par la suite, Yukiko et sa mère sont retournées à Tokyo, n'est-ce pas ?

Ma mère ne répond pas. Je poursuis en souriant :

— Tu dois être surprise, maman. J'étais amoureux de la fille de nos voisins !

Elle reste encore en silence, le visage sans expression. Après un moment, elle demande :

— Où est Yukiko ?

— Maintenant, je ne sais pas. Mais, selon ses grands-parents, elle est partie à l'étranger après son mariage.

— Selon ses grands-parents ? Tu veux dire les parents de sa mère ?

— Non, dis-je. Les parents de son père, monsieur Horibe.

Ma mère insiste :

— Comment connais-tu les parents de monsieur Horibe ?

— Peu avant mon départ pour Tokyo, mon père m'a donné leur adresse pour que j'aille les saluer. Te rappelles-tu que monsieur Horibe et mon père étaient amis à l'université, à Tokyo ? Les parents de monsieur Horibe se souvenaient très bien de mon père et ils m'ont accueilli avec plaisir. Toutefois, je n'ai pas dit que j'étais le petit ami de Yukiko.

Ma mère demeure silencieuse. Je continue :

— Ils m'ont dit que la mère de Yukiko était décédée d'une leucémie à cause des radiations de la bombe atomique.

Elle répète d'une voix faible :

— Madame Horibe était déjà décédée...

— Oui, dis-je. J'ai ainsi manqué à trois mois près la dernière occasion de revoir Yukiko.

Ma mère demande :

— As-tu revu ses grands-parents depuis ?

— Oui, mais seulement deux fois.

Je continue à parler d'eux, qui m'ont appris que Yukiko ne revenait jamais au Japon pour les revoir et qu'elle ne leur écrivait pas non plus. J'ajoute :

— Cela m'a semblé vraiment bizarre...

Ma mère ne m'écoute plus. Elle se met à somnoler, les paupières à moitié closes.

Je sors de la chambre avec son repas pour le réchauffer.

J'entre dans ma chambre où je passe mon temps à lire. Les quatre murs sont couverts de livres. Parmi les titres scientifiques, il y a trois livres différents. *Manifeste du parti communiste*, *Le Capital* et *La guerre civile en France*. Je tire le troisième livre et l'ouvre. Je vois deux photos de Yukiko, jaunies par le temps. Il y a aussi un papier sur lequel est écrite l'adresse de Yukiko à l'étranger. Le papier est aussi jauni et ses plis sont presque déchirés. Je m'assieds et pose les photos sur le bureau.

Sur la première photo, Yukiko est debout, habillée en costume marin. Elle porte des nattes. Elle a un sourire doux sur les lèvres. Cependant, ses yeux expriment un caractère ferme. Au verso est écrit « Yukiko à l'âge de treize ans ».

Sur la deuxième, elle est assise sur un banc, le visage vers l'appareil. À côté d'elle, un garçon de son âge est debout, la tête un peu baissée. « Yukiko à l'âge de trois ans », lit-on au verso.

Quand Yukiko m'a montré cette photo, elle m'a taquiné en disant : « C'est la photo de mon petit ami. » À ces mots, mon cœur s'était serré. Le premier amour, le premier baiser. Je me souviens encore du toucher de ses lèvres. Le sentiment ardent. Je voulais vivre avec elle toute ma vie. Était-ce parce que je n'avais que seize ans ? Je ne sais pas. Néanmoins, mes souvenirs d'elle sont encore bien vivants.

Je n'aurais jamais imaginé que, cinquante ans plus tard, je parlerais à ma mère de mon premier amour. Je reprends ces deux photos et je vais à sa chambre. Ma mère est réveillée.

Je dis :

— Il y a quelque chose que je n'ai jamais montré à personne.

Elle tourne son regard vers moi et me demande :

— Qu'est-ce que c'est ?

— C'est de vieilles photos de quelqu'un que tu connais bien.

— Qu'est-ce que tu as trouvé ? Des photos de ton père ?

— Non. Regarde.

Je lui tends d'abord la photo de Yukiko seule. Ma mère la prend dans sa main. Elle la regarde quelques secondes et dit :

— C'est qui, cette fille ? Shizuko ou bien Natsuko ?

— Non. C'est ma petite amie de jeunesse.

— Yukiko ?

— Oui.

Ma mère la regarde de nouveau et dit :

— Je ne me rappelle pas son visage. Elle n'a vécu que deux ans dans notre quartier.

Je lui tends la deuxième photo de Yukiko à l'âge de trois ans, avec un garçon de son âge. Ma mère la regarde longuement.

Je lui explique :

— C'est encore la photo de Yukiko. Le petit garçon est son ami qu'elle aimait beaucoup. Ils sont mignons.

Ma mère ne répond pas. Son regard est fixé sur la photo. Après un moment, elle demande :

— Qui t'a donné ces photos ?

Je réponds :

— C'est Yukiko. Elle me disait que son père avait un appareil très moderne à l'époque.

Ma mère regarde toujours les photos. Elle ne parle plus. Je me lève pour éteindre le climatiseur. J'ouvre les fenêtres et les vitres coulissantes devant le jardin. L'air frais pénètre dans la chambre. Il ne fait plus chaud maintenant. C'est la température idéale pour travailler dans le jardin.

Devant le jardin, je m'étire. Les tournesols sont en pleine floraison. Éclairé par le soleil couchant, le jaune des pétales brille. J'observe le potager. Il y a des aubergines, des concombres, des citrouilles et des melons d'eau qui sont mûrs. Je commence à arracher des mauvaises herbes.

— C'est délicieux, n'est-ce pas ?

J'entends Shizuko parler à ma mère. Il me semble que ma mère mange le potage à la citrouille. Shizuko lui parle des enfants qui sont censés revenir pour le *Bon*. J'entends aussi ma mère parler, d'une voix fluette. Elle n'a pas parlé ainsi depuis longtemps. Il est possible qu'elle se maintienne tant bien que mal et qu'elle soit capable de visiter la tombe de mon père avec les enfants.

Le vent s'arrête. Les voix parviennent très clairement à mes oreilles.

Shizuko dit d'un ton étonné :

— Tiens ! Je ne savais pas que vous aviez une photo d'enfance de Yukio.

Elle devait parler de la photo de Yukiko avec un petit garçon. Ma mère ne répond pas. Il se peut qu'elle soit en train de s'assoupir en écoutant, comme d'habitude. Pourtant, Shizuko continue :

— Yukio devait être adorable. Son visage dans la photo me rappelle celui de Fuyuki quand il avait trois ou quatre ans. Je lui montrerai cette photo quand il reviendra pour le *Bon*. Ce sera une surprise pour lui.

J'arrête de bouger les mains. Je tourne la tête vers la chambre. Je vois le dos de Shizuko, assise sur la chaise. Elle dit à ma mère :

— C'est par le sang qu'on peut faire le lien entre un parent et son enfant, mais on n'a pas besoin de cette preuve si l'on regarde leur visage... Et qui est-ce, cette fille, habillée en costume marin ?

Un moment de silence.

— Yukiko à l'âge de treize ans ? continue Shizuko. Cette fille s'appelle Yukiko ? Le nom est presque pareil à celui de Yukio. Elle ressemble un peu à Natsuko ou plutôt à Tsubaki. Cette fille et Yukio ont-ils un lien de parenté ? Non, ce n'est pas possible. Vous n'avez aucune parenté...

Je sens mon corps se figer. Chaque mot que Shizuko prononce m'ébranle. « C'est moi, le petit garçon avec Yukiko ? » Je me lève. J'ai la tête qui tourne. Je n'entends plus rien.

La nuit est tombée sans se faire remarquer. Shizuko ferme toutes les portes et les verrouille de l'intérieur. La lumière de la chambre est éteinte. Je reste immobile dans le noir.

J'entre dans la chambre. Lentement, je m'approche de la bibliothèque où je garde les trois livres du père de Yukiko. La main tremblante, je tire de nouveau le même livre et sors le papier plié en quatre. Je le déplie prudemment et le pose sur le bureau. L'adresse de Yukiko à l'étranger est écrite à l'encre noire. Je la regarde longtemps. Tout d'un coup, Shizuko frappe à la porte. Elle me dit, l'air inquiet :

— Ta mère a quelque chose qui ne va pas...

Vers dix heures du soir, ma mère tombe dans le coma. Shizuko s'empresse d'appeler le docteur et tous les enfants.

Je reste assis aux côtés de ma mère. De temps en temps, je lui répète : « Maman, tu m'entends ? » Aucune réponse. Je regarde longuement son visage pâle. Les deux photos sont toujours dans sa main.

Au bout d'un moment, je me rends compte qu'elle tient dans l'autre main une chose enveloppée dans un vieux tissu blanc. Je touche sa main, qui ne réagit plus. Je prends doucement l'objet. J'ouvre le tissu. « *Hamaguri !* » J'en ai le souffle coupé. La bouche du coquillage reste fermée avec une bande de papier jauni. Je l'agite. Kotokotokoto... Déchiré, le papier se détache facilement. Le caillou tombe sur le plancher. Je vois aux creux des coquilles les deux noms écrits en *hiragana* : « Yukiko » et « Yukio ». Je retiens mes larmes.

Je fixe les deux photos dans la main de ma mère. Je prends celle de Yukiko avec un petit garçon, « moi ». Ma main tremble. La photo est tombée, sur la face. Là, je vois quelques mots ajoutés, à l'écriture incertaine. Je lis : « Mon fils, tu m'es plus cher que tout au monde. »

Je regarde de nouveau le visage de ma mère et je prends sa main, qui refroidit peu à peu. Mes larmes tombent sur nos mains.

GLOSSAIRE

Aka : rouge, communiste.

Aka-gami : ordre d'appel par l'armée. *Aka* : rouge ; *gami (kami)* : papier.

Baïshunfu : prostituée, putain.

Bon : fête bouddhique des Morts, célébrée du 13 au 15 juillet ou du 13 au 15 août selon les régions.

Daïbutsu : grande statue du Bouddha.

Daïshinsaï : grand désastre sismique. Tremblement de terre qui s'est produit dans la région du Kanto, en 1923.

Fuyuki : arbre de l'hiver.

Gyokusaï : mourir vaillamment, combattre jusqu'à la mort.

Hamaguri : palourde japonaise.

Hikokumin : traître à sa patrie.

Hiragana : écriture syllabique créée à partir de la forme cursive des caractères chinois.

Kaïawase : jeu qui consiste à chercher deux coquilles qui forment une paire originale. *Kaï* : coquillage ; *awase (awaseru)* : joindre.

Kami-sama : Dieu, le Seigneur dans le monothéisme ; dieu dans le polythéisme.

Kirisuto : Jésus.
Maria : Marie.
Manshûkoku : Mandchoukouo.
Miso : pâté de soja fermenté.
Natsuko : enfant de l'été.
Obentô : repas rapide contenu dans un coffret pour emporter.
Ofuro : baignoire japonaise.
Ojisan : oncle ou monsieur.
Onêsan : sœur aînée.
Oshiire : placard à literie et à vêtements, encastré dans le mur.
Shinpu-sama : père, abbé, curé. *Sama (san)* : suffixe de politesse pour dire monsieur, madame, mademoiselle, plus poli que *san*.
Shôyu : sauce de soja.
Tetenashigo : enfant sans père, illégitime, bâtard.
Tsubaki : camélia.

BABEL

711. VLADIMIR POZNER
Le Mors aux dents

712. AKI SHIMAZAKI
Tsubaki

713. LISE TREMBLAY
La Héronnière

714. ALICE FERNEY
Dans la guerre

715. NANCY HUSTON
Professeurs de désespoir

716. SELMA LAGERLÖF
Des trolls et des hommes

717. GEORGE SAND
L'Homme de neige

718. JEAN MARCHIONI
Place à monsieur Larrey

719. ANTON TCHEKHOV
Pièces en un acte

720. PAUL AUSTER
La Nuit de l'oracle

721. PERCIVAL EVERETT
Effacement

722. CARINE FERNANDEZ
La Servante abyssine

723. ARNAULD PONTIER
La Fête impériale

724. INGEBORG BACHMANN
Trois sentiers vers le lac

725. CLAUDIE GALLAY
Seule Venise

726. METIN ARDITI
Victoria-Hall

727. HENRY BAUCHAU
L'Enfant bleu

728. JEAN-LUC OUTERS
La Compagnie des eaux

729. JAMAL MAHJOUB
La Navigation du faiseur de pluie

730. ANNE BRAGANCE
Une valse noire

731. LYONEL TROUILLOT
Bicentenaire

732. INTERNATIONALE DE L'IMAGINAIRE N° 21
Cette langue qu'on appelle le français

733. ALAIN LORNE
Le Petit Gaulliste

734. LAURENT GAUDÉ
Le Soleil des Scorta

735. JEAN-MICHEL RIBES
Musée haut, musée bas

736. JEAN-MICHEL RIBES
Multilogues *suivi de* Dieu le veut

737. FRANÇOIS DEVENNE
Trois rêves au mont Mérou

738. MURIEL CERF
Le Verrou

739. NINA BERBEROVA
Les Derniers et les Premiers

740. ANNA ENQUIST
Les Porteurs de glace

741. ANNE-MARIE GARAT
Nous nous connaissons déjà

742. JEAN DEBERNARD
Simples soldats *précédé de* Feuille de route

743. WILLIAM T. VOLLMANN
La Famille royale

744. TIM PARKS
Cara Massimina

745. RUSSELL BANKS
Histoire de réussir

746. ALBERTO MANGUEL
Journal d'un lecteur

747. RONALD WRIGHT
La Sagaie d'Henderson

748. YU HUA
Le Vendeur de sang

749. JEAN-PIERRE GATTÉGNO
Longtemps, je me suis couché de bonne heure

750. STEFANO BENNI
Saltatempo

751. PAUL BENJAMIN
Fausse balle

752. RAYMOND JEAN
L'Attachée

753. PAUL AUSTER
Lulu on the Bridge

754. CLAIRE FOURIER
Métro Ciel *suivi de* Vague conjugale

755. ANNE BRUNSWIC
Bienvenue en Palestine

756. COLLECTIF
Brèves d'auteurs

757. CLAUDE PUJADE-RENAUD
Chers disparus

758. LAURENT SAGALOVITSCH
Loin de quoi ?

759. PHILIPPE DE LA GENARDIÈRE
Simples mortels

760. AUGUST STRINDBERG
Mariés !
(à paraître)

761. PASCAL MORIN
Les Amants américains

762. HONORÉ DE BALZAC
Voyage de Paris à Java

763. IMRE KERTÉSZ
Le Refus

764. CHI LI
Tu es une rivière

765. ANDREÏ GUELASSIMOV
La Soif

766. JEAN BARBE
Comment devenir un monstre
(à paraître)

767. PER OLOV ENQUIST
Le Départ des musiciens

768. JOYCE CAROL OATES
Premier amour

769. CATHERINE DAVID
La Beauté du geste

770. HELLA S. HAASSE
Un long week-end dans les Ardennes

771. NAGUIB MAHFOUZ
Les Mille et Une Nuits

772. GHASSAN KANAFANI
Retour à Haïfa
(à paraître)

773. AKIRA YOSHIMURA
La Jeune Fille suppliciée sur une étagère

774. SIRI HUSTVEDT
Yonder

775. SELMA LAGERLÖF
Le Violon du fou

776. VLADIMIR POZNER
Les Brumes de San Francisco

777. NIKOLAÏ GOGOL
Théâtre complet

778. ALAN DUFF
Les Ames brisées

779. SIA FIGIEL
La Petite Fille dans le cercle de la lune

780. RUSSELL BANKS
American Darling

781. ALBERT SÁNCHEZ PIÑOL
La Peau froide

782. CÉLINE CURIOL
Voix sans issue

OUVRAGE RÉALISÉ
PAR L'ATELIER GRAPHIQUE ACTES SUD
REPRODUIT ET ACHEVÉ D'IMPRIMER
EN JUIN 2021
PAR NORMANDIE ROTO IMPRESSION S.A.S.
À LONRAI
POUR LE COMPTE DES ÉDITIONS
ACTES SUD
LE MÉJAN
PLACE NINA-BERBEROVA
13200 ARLES

DÉPÔT LÉGAL
1re ÉDITION : 1er TRIMESTRE 2007
N° impr. : 2103106
(Imprimé en France)